MAIS...
C'EST PAS MOI!

Pour Jean

ISBN 978-2-211-22751-3
Première édition dans la collection *les lutins* : février 2016
© 2012, l'école des loisirs, Paris
Loi numéro 49956 du 16 juillet 1949 sur les publications
destinées à la jeunesse : octobre 2012
Dépôt légal : février 2018
Imprimé en France par I.M.E. by Estimprim à Autechaux

Stephanie Blake

MAIS...
C'EST PAS MOI!

les lutins de l'école des loisirs
11, rue de Sèvres, Paris 6ᵉ

Aujourd'hui, c'est l'automne.
Simon va repeindre la clôture
du jardin avec papa.
«Moi lé viens aussi!»
dit Gaspard.
«Tu ne peux pas, bébé Cadum,
tu es trop petit,
papa te l'a déjà dit.»

Gaspard est fâché...
« Gaspard ! Viens voir Suzanne !
Elle est TROP mignonne,
ta petite sœur »,
dit maman.
« Tlo moche »,
murmure Gaspard.

**Gaspard renverse
la construction
de Simon…**

«Oh ! Gaspard ! Ce n'est pas bien»,
dit maman.
«C'est pas moi ! C'est bébé chat!»
répond Gaspard.
«Je ne suis pas contente, bébé chat,
il faut me ranger tout ça!»

Gaspard regarde
papa et Simon
peindre la clôture.
Il est encore plus fâché.

Maman arrive avec Suzanne dans les bras
et manque de trébucher sur Gaspard.
«Oh! Mais Gaspard! Il ne faut pas rester là!»
«C'est pas moi! C'est bébé chat!»
répond Gaspard.
«Viens faire un câlin»,
dit maman après avoir posé Suzanne.
«NON, NON et NON»,
répond Gaspard.

Papa et Simon sont très contents,
ils ont fini de repeindre la clôture.
« Oh! Regarde, Simon!
Il va bientôt pleuvoir,
on a fini juste à temps! »

« *Doobidoo*
Wap
Doo
Wap! »
chante Simon.

Papa et Simon se mettent à table,
ils ont
très
TRÈS
faim.
Mais Gaspard regarde le vent se lever.
Il aperçoit une feuille qui
VIREVOLTE
et vient se poser
sur...

… la peinture fraîche de la clôture.
Gaspard
a soudain une idée,
une
SUPRA
MÉGA
TOP
idée!

À l'aide d'un
TRÈS
GRAND
râteau,
Gaspard rassemble toutes les feuilles.
Il réussit à former un
MÉGA
GIGA
tas de feuilles.
«À table, Gaspard!»
crie papa.
«Gaspard! Gaspard?
Gaspard, à table!»

«Wouah! Gaspard!
Tu as eu une méga bonne idée!»
dit Simon.
«Bravo, mon chéri!»
dit papa.
«Oh! Bravo, bébé chat!»
dit maman.

« C'est pas bébé chat,
c'est MOI ! »